Para Bastiano y Loukas
Carole Crouzet

Puedes consultar nuestro catálogo en www.picarona.net

La niña que siempre decía No
Texto: Swan Meralli
Ilustraciones: Carole Crouzet

1.ª edición: febrero de 2017

Título original: Le petit livre qui dit non!

Traducción: Joana Delgado
Maquetación: Isabel Estrada
Corrección: M.ª Ángeles Olivera

© 2015, Éditions Glénat para Merelli & Crouzet
(Reservados todos los derechos)

© 2017, Ediciones Obelisco, S.L.
www.edicionesobelisco.com
(Reservados los derechos para la lengua española)

Edita: Picarona, sello infantil de Ediciones Obelisco, S.L.
Collita, 23-25. Pol. Ind. Molí de la Bastida
08191 Rubí - Barcelona - España
Tel. 93 309 85 25 - Fax 93 309 85 23
E-mail: picarona@picarona.net

ISBN: 978-84-9145-018-4
Depósito Legal: B-24.895-2016

Printed in Spain

Impreso en España por ANMAN, Gràfiques del Vallès, S. L.
C/ Llobateres, 16-18, Tallers 7 - Nau 10. Polígon Industrial Santiga.
08210 - Barberà del Vallès (Barcelona)

Swann Meralli • Carole Crouzet

La niña que siempre decía

No

 Picarona

¡Venga,
es hora
de poner la mesa!

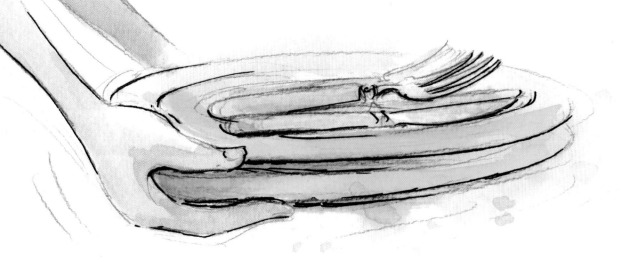

¿No dices «por favor»?

¡Utiliza el tenedor!

¿Me ayudas
a recoger?

¡Ve a lavarte
la cara!

¡Aléjate de la tele!

¡Y ve a lavarte
los dientes!

¡Tienes que **arreglar** tu habitación antes de irte a la cama!

¡Ponte el pijama!

¡Hora de ir a la cama!

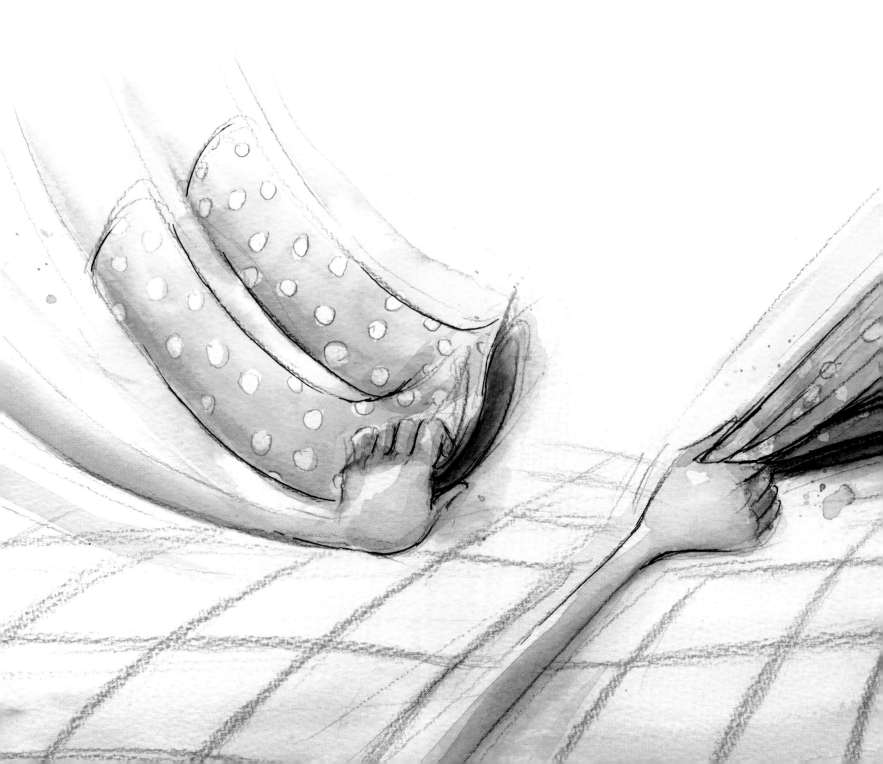

¡Y deja de decir NO!

¿Me lees
un cuento,

por favor?